la vache

la table

l'oiseau

le chien

la pomme

32
trente-deux

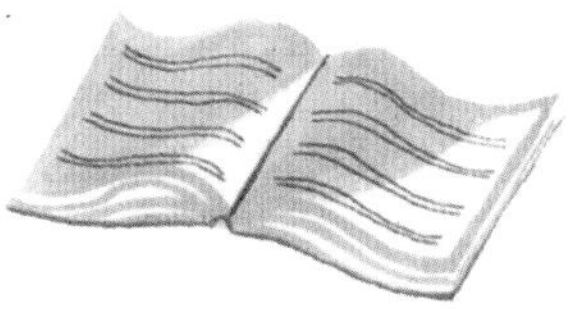
le livre

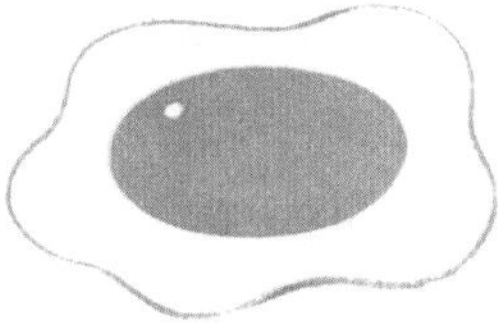
l'œuf

le papillon

le bus

la clé

le chat

la fraise

le pull

la coccinelle

le poisson

la voiture

l'horloge

50
cinquante

l'éléphant

le renard

le citron

l'âne

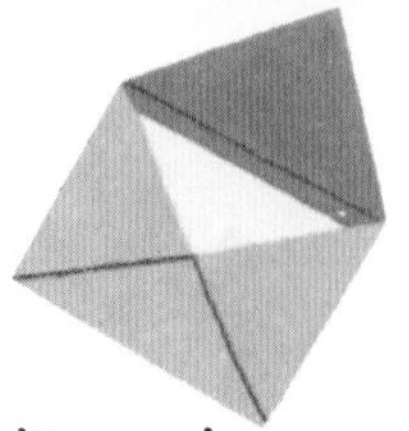
l'enveloppe

les raisins

la tortue

le parapluie

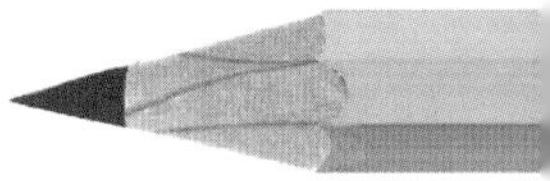
le crayon

la poule

les fruits

le mouton

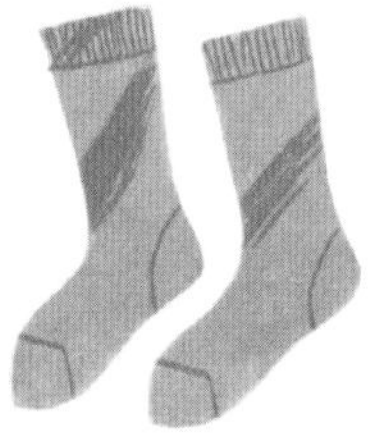
les chaussettes

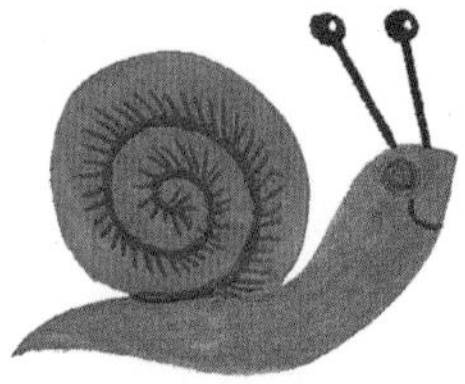
l'escargot

le taxi

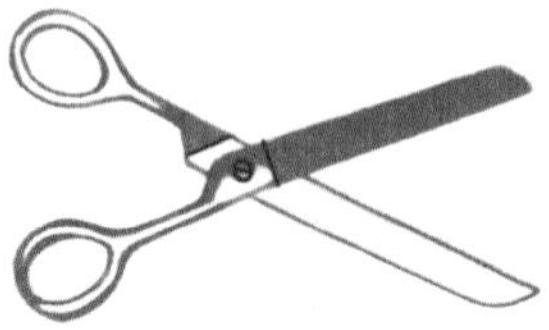
les ciseaux

les cerises

la montre

le ver

le zèbre

la valise

ALAIN GRÉE

First words in FRENCH

Button Books

First published 2016 by Button Books, an imprint of Guild of Master Craftsman Publications Ltd, Castle Place, 166 High Street, Lewes, East Sussex BN7 1XU.

ISBN 978 1 90898 575 0

Publisher: Jonathan Bailey; Production Manager: Jim Bulley; Senior Project Editor: Virginia Brehaut; Managing Art Editor: Gilda Pacitti.

Colour origination by GMC Reprographics. Printed and bound in China.

Contents

À la plage
At the beach

le ballon de plage
beach ball

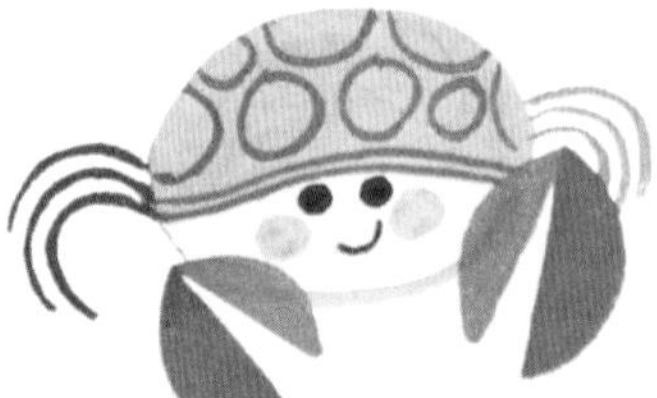

l'étoile de mer
starfish

le crabe
crab

le sable
sand

le château de sable
sandcastle

le phare
lighthouse

la planche à voile
windsurfing

la mouette
seagull

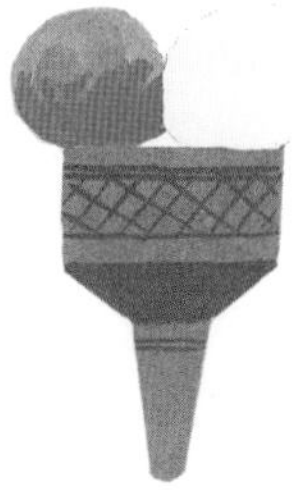

la glace
ice cream

la mer
sea

les coquillages
shells

le canot pneumatique
inflatable dinghy

le bateau
boat

À l'aéroport

At the airport

l'agent de piste
runway signalman

les passagers
passengers

le contrôle des passeports
passport control

les bagages
luggage

l'avion
aeroplane

le chariot à bagages
luggage truck

À la ferme

At the farm

la vache
cow

la chèvre
goat

le mouton
sheep

le cochon
pig

le coq
cockerel

le poussin
chick

la poule
hen

l'agriculteur
farmer

Les chiffres

Numbers

 zéro
zero

 un
one

 deux
two

 trois
three

 quatre
four

 cinq
five

 six
six

 sept
seven

 huit
eight

 neuf
nine

 dix
ten

 onze
eleven

douze
twelve

 treize
thirteen

 quatorze
fourteen

 quinze
fifteen

 seize
sixteen

 dix-sept
seventeen

 dix-huit
eighteen

 dix-neuf
nineteen

 vingt
twenty

 trente
thirty

 quarante
forty

 cinquante
fifty

 soixante
sixty

 soixante-dix
seventy

 quatre-vingts
eighty

 quatre-vingt-dix
ninety

cent
one hundred

 mille
one thousand

 un million
one million

Les quatre saisons

The four seasons

le printemps

spring

l'été

summer

l'automne

autumn

l'hiver

winter

Les couleurs

Colours

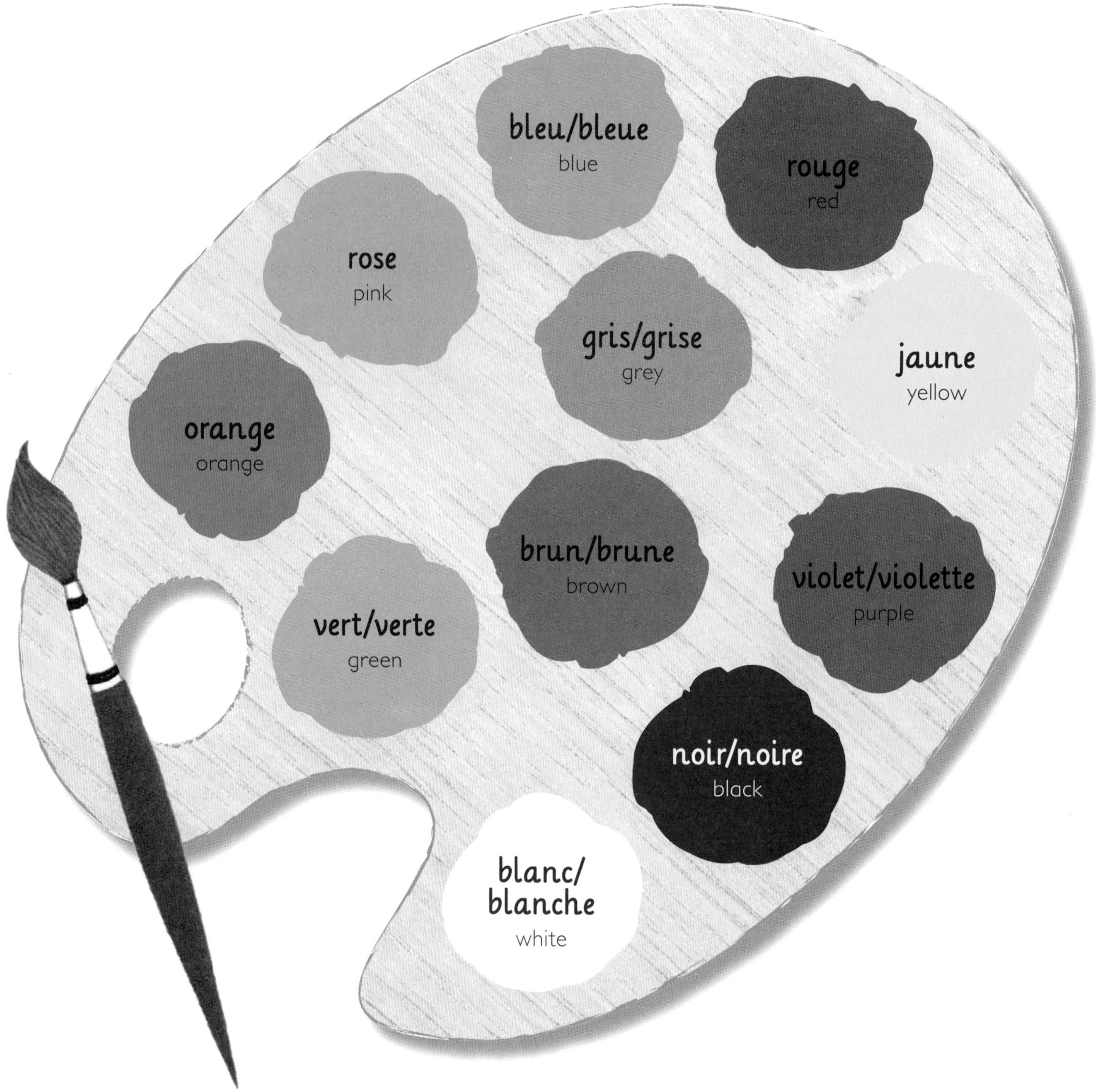
bleu/bleue
blue
rouge
red
rose
pink
gris/grise
grey
jaune
yellow
orange
orange
brun/brune
brown
violet/violette
purple
vert/verte
green
noir/noire
black
blanc/
blanche
white

De quelle couleur sont les images?

Say what colour each of these pictures are.

Les animaux

Animals

la souris

mouse

le chat

cat

le lapin

rabbit

le renard

fox

le lézard

lizard

le poisson rouge

goldfish

la tortue

tortoise

le chien

dog

le hérisson

hedgehog

le cheval

horse

la chouette
owl

le perroquet
parrot

le cerf
deer

le toucan
toucan

le homard
lobster

le poulpe
octopus

le requin
shark

la baleine
whale

Au zoo

At the zoo

l'ours
bear

le pingouin
penguin

la girafe
giraffe

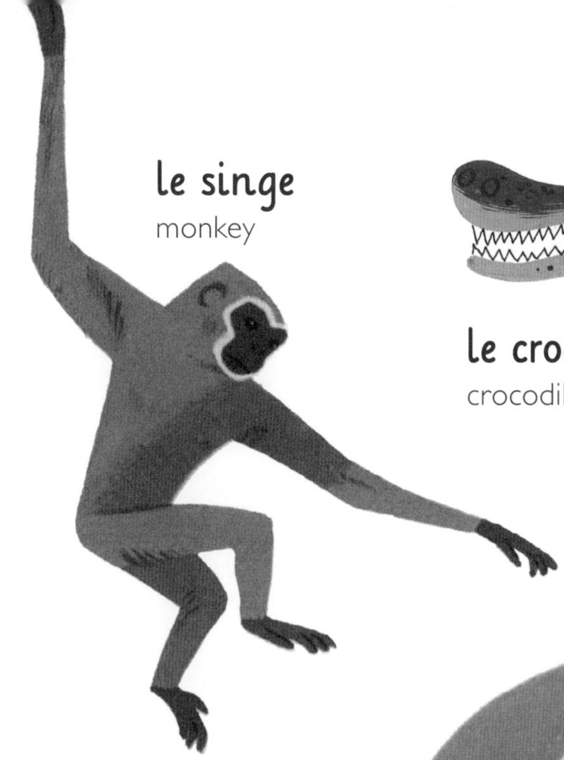

le singe
monkey

le crocodile
crocodile

le lion de mer
sea lion

le kangourou
kangaroo

le zèbre
zebra

l'éléphant
elephant

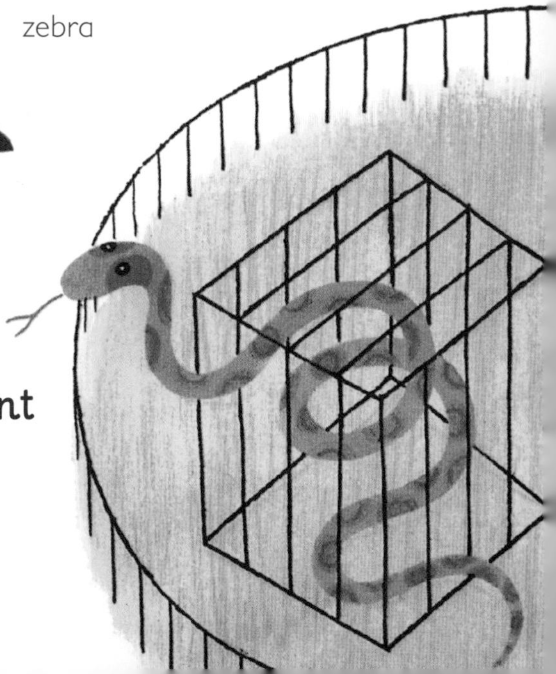

le serpent
snake

Les pièces

Rooms

la chambre
bedroom
le grenier
attic
la cuisine
kitchen
la salle
à manger
dining room

le mur
wall

la lampe
light

la télévision
television

le tapis
carpet

À la maison

At home

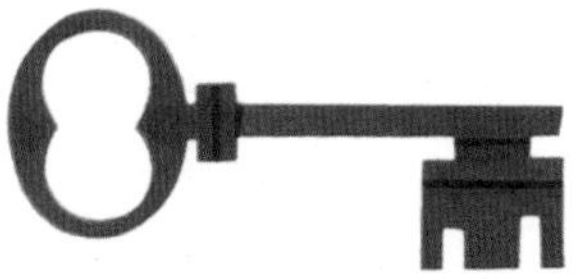

la clé
key

l'horloge
clock

la fenêtre
window

le lit
bed

la lampe de chevet
table lamp

la chaise
chair

la table
table

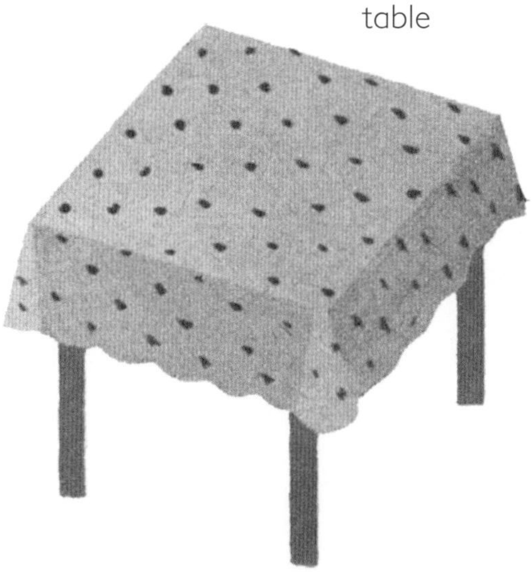

le miroir
mirror

la porte
door

le sofa
sofa

Dans le parc

In the park

le manège
merry-go-round

l'écureuil
squirrel

la trottinette
scooter

le ballon
balloon

le bateau jouet
toy boat

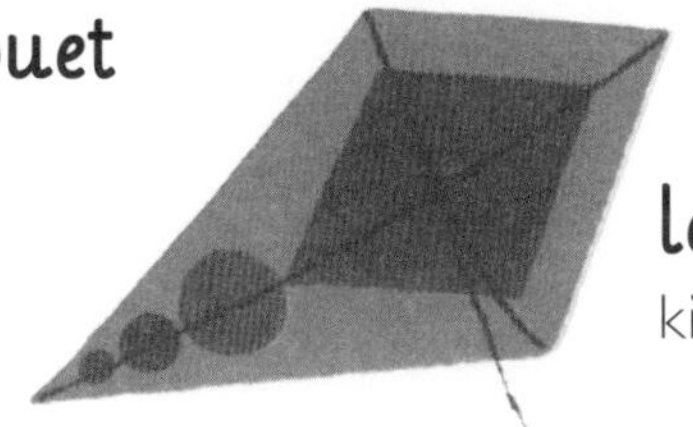

le cerf-volant
kite

le banc
bench

le pigeon
pigeon

le ping-pong
table tennis

Les sports

Sports

le football
football

la natation
swimming

le hockey sur gazon
hockey

le rugby
rugby

le tennis
tennis

le ski
skiing

le hockey
ice hockey

Les formes

Shapes

le triangle
triangle

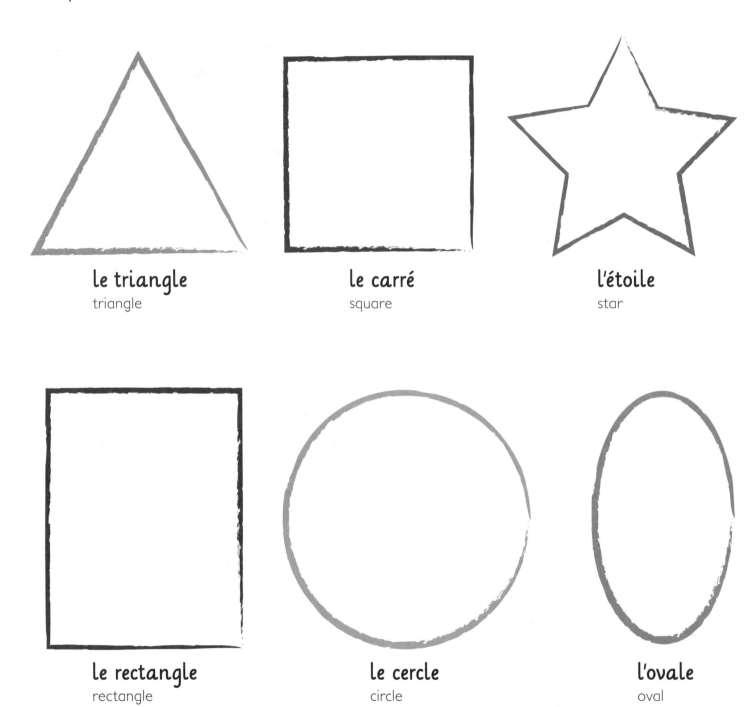

le carré
square

l'étoile
star

le rectangle
rectangle

le cercle
circle

l'ovale
oval

Quelles formes vois-tu ici?

Which shapes can you see here?

Fais correspondre les mots aux images

Match the words to the pictures

le crabe   le chat   le lit   le chien   la fenêtre

la glace   six   le renard   le cochon   la chaise

l'arbre   la vache   quatre   le ballon de plage

l'éléphant   rouge   l'horloge   la chouette   la mer

seize   la table   le triangle   le phare   le lion

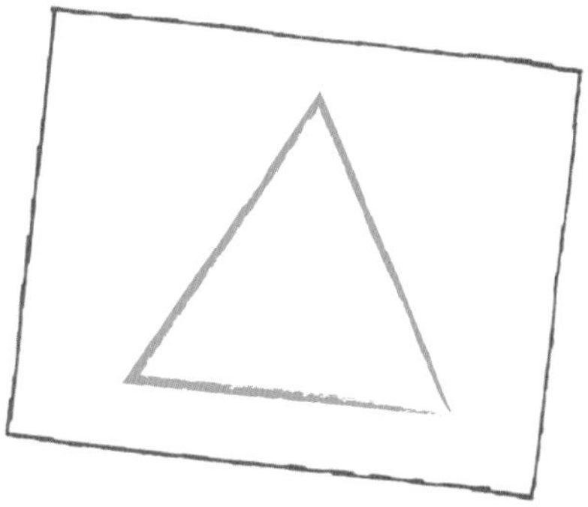

Aux magasins

At the shops

la boulangerie
bakery

le marchand de fruits et légumes
greengrocer's

le magasin de jouets
toy shop

le magasin de vêtements
clothes shop

Où est-ce que tu vas pour acheter . . . ?

Where do you go to buy…?

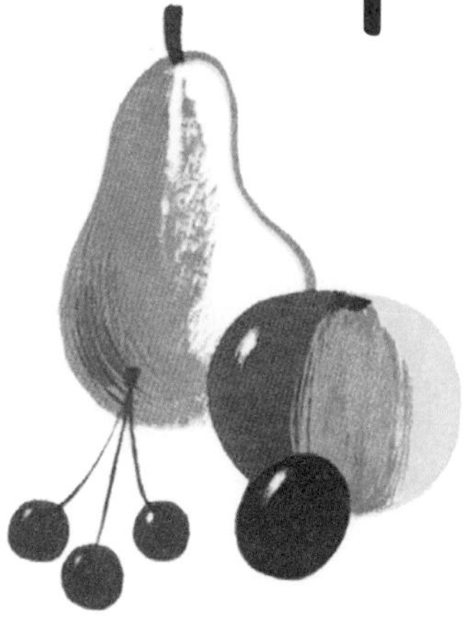

La nourriture et les boissons

Food and drink

la serviette
napkin
la bouteille
bottle
la carafe
jug
la nappe
tablecloth
l'assiette
plate
le couteau
knife
la fourchette
fork
le verre
glass
la cuillère
spoon
la tasse
cup
le poivre
pepper
le bol
bowl
le sel
salt

l'eau
water

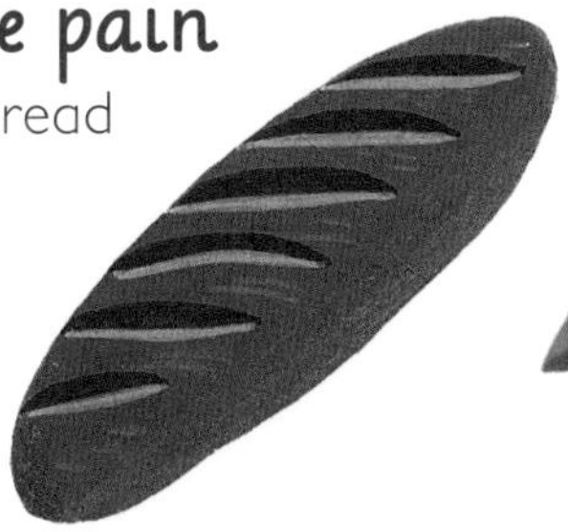

le pain
bread

le beurre
butter

l'huile d'olive
olive oil

la soupe
soup

le riz
rice

les frites
chips

les pâtes
pasta

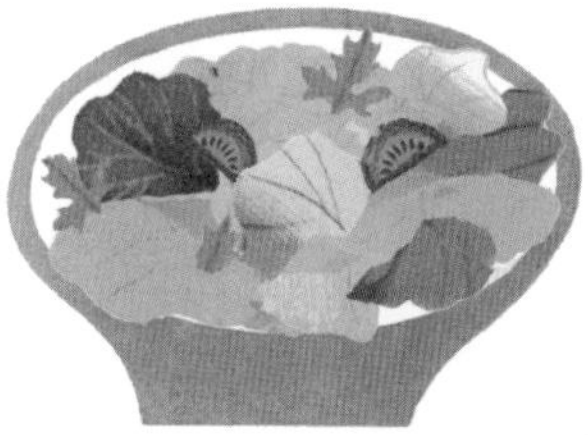

la salade
salad

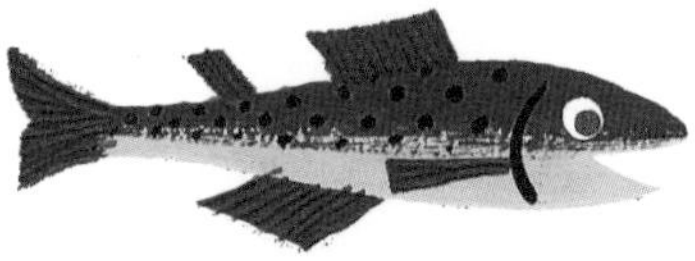

le poisson
fish

le poulet
chicken

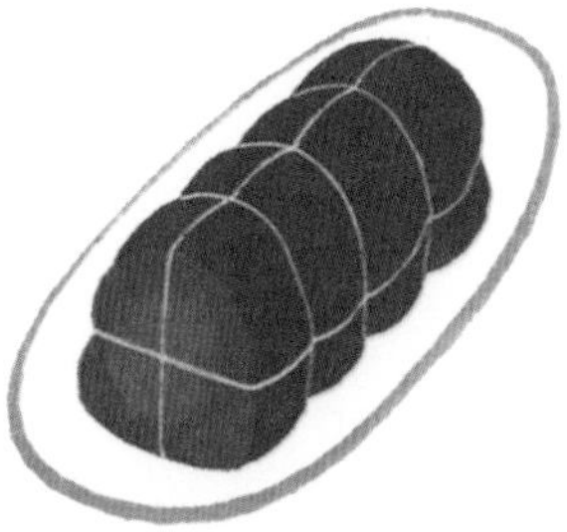

le bœuf
beef

le porc
pork

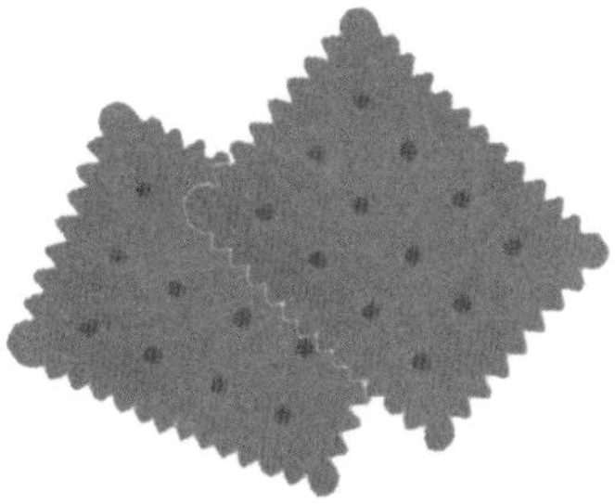

les biscuits
biscuits

le gâteau
cake

les bonbons
sweets

le milk-shake
milkshake

Le petit-déjeuner

Breakfast

les céréales
cereal

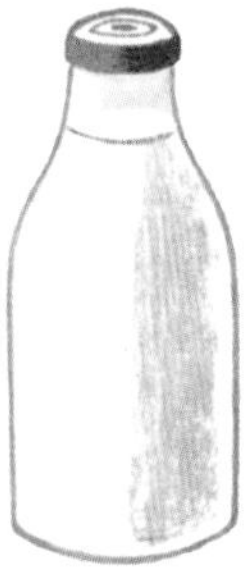

le lait
milk

le yaourt
yogurt

le pain grillé
toast

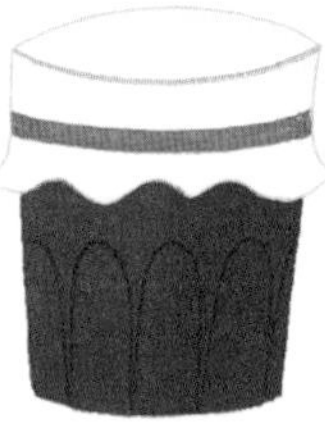

la confiture
jam

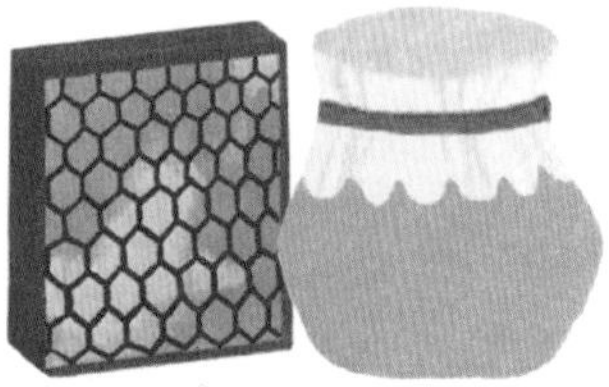

le miel
honey

le jus d'orange
orange juice

les œufs
eggs

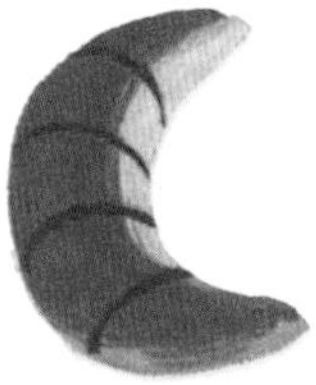

le croissant
croissant

le chocolat chaud
hot chocolate

le thé
tea

le café
coffee

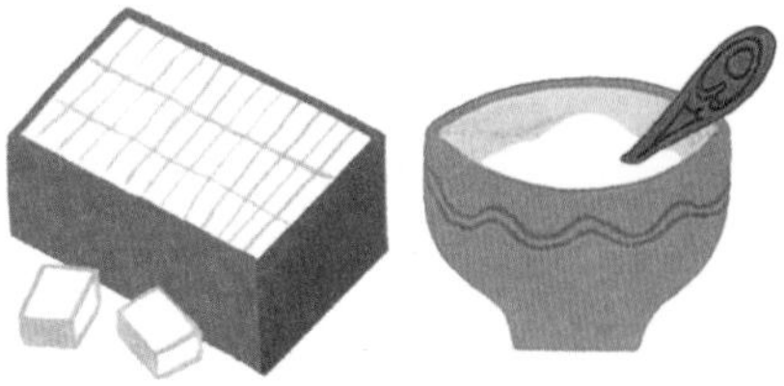

le sucre
sugar

le stylo	la fenêtre	le chien	la cuisine	la baignoire
la table	le lapin	la montre	la règle	l'avion
le livre	maman	papa	le chat	la porte
la valise	la chaise	la robe	l'armoire	le crayon
rouge	bleu/bleue	blanc/blanche	noir/noire	gris/grise
jaune	orange	vert/verte	violet/violette	rose
les chaussures	la souris	le lait	la tasse	le parapluie
la salle de bain	le pain	le beurre	le fromage	les gants
le cochon	le ciel	le salon	les chaussettes	le mur
la mer	la bouteille	la carafe	le sofa	le lit